C'ÉTAIT CE JOUR-LÀ...

juillet

D0834044

VOTRE ARBRE GÉNÉALOGIQUE

| Arrière-grand-père | Arrière-grand-mère | Arrière-grand-père | Arrière-grand-mère |

Grand-mère

Grand-père

JE SUIS NÉ(E)

Jour :................................

Année :............................

Heure : ....

Ville :...............................

Pays :...............................

Maman

Moi

MON POIDS

....

MA TAILLE

....

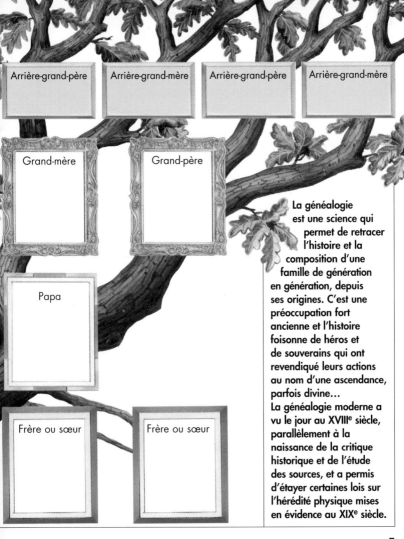

Arrière-grand-père

Arrière-grand-mère

Arrière-grand-père

Arrière-grand-mère

Grand-mère

Grand-père

Papa

Frère ou sœur

Frère ou sœur

La généalogie est une science qui permet de retracer l'histoire et la composition d'une famille de génération en génération, depuis ses origines. C'est une préoccupation fort ancienne et l'histoire foisonne de héros et de souverains qui ont revendiqué leurs actions au nom d'une ascendance, parfois divine…
La généalogie moderne a vu le jour au XVIIIe siècle, parallèlement à la naissance de la critique historique et de l'étude des sources, et a permis d'étayer certaines lois sur l'hérédité physique mises en évidence au XIXe siècle.

5

L'ORIGINE DES CALENDRIERS

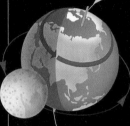

La nécessité d'avoir des repères fiables dans le temps conduisit les Anciens à observer le mouvement des astres afin d'établir une périodicité. Grâce à la régularité du déplacement du Soleil, les hommes eurent très tôt une mesure du temps : le jour. Puis en observant le retour du Soleil à la même place sur l'horizon terrestre, ils en trouvèrent une autre : l'année, qui correspond environ à 12 évolutions de la Lune dans le ciel. L'année fut donc découpée en 12 mois. Autant de divisions qui permirent d'établir un calendrier, qui règle la vie des hommes depuis 4 000 ans… Certains peuples fondent leur calendrier sur l'évolution du Soleil, d'autres sur celle de la Lune.

La rotation de la Terre sur elle-même est de 24 h : c'est la journée. La Lune met environ 29 jours et demi pour

faire le tour de la Terre : c'est le mois lunaire, celui qui connaît le plus de variations. La Terre, elle, met 365 jours, 6 h et 9 min pour faire sa rotation autour du Soleil : c'est l'année solaire.

La Terre tourne sur elle-même et gravite autour du Soleil.

Ce sont les Égyptiens qui établirent le premier calendrier solaire de 365 jours. L'omission des 6 h 9 mn entraîna un décalage par rapport aux saisons. En 238 av. J.-C. on instaura le principe du jour supplémentaire,

La Terre est l'une des 9 planètes qui circulent autour d'une étoile, le Soleil, et forment le système solaire. Le Soleil est un globe ardent de gaz chauds d'un diamètre 109 fois plus grand que celui de la Terre. Ce n'est qu'une étoile parmi les 100 milliards d'étoiles qui forment notre galaxie, mais c'est la plus proche de la Terre.

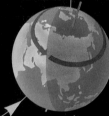

qui permettait de rétablir ce retard. Le calendrier imposé par Jules César systématisait ce principe en instaurant une année bissextile tous les 4 ans. Le décalage de 9 min qui subsistait fut l'objet de la réforme grégorienne de 1582.

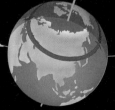

Les saisons sont inversées dans les 2 hémisphères.

LES CONSTELLATIONS DU ZODIAQUE

Au cours d'une année, le Soleil fait le tour du ciel en traversant 12 constellations, toujours les mêmes. La plupart d'entre elles ayant été baptisées de noms d'animaux par les Grecs, elles forment le cercle dit du zodiaque, qui signifie "figure animalière". Le Soleil reste 1 mois dans chacune d'elles et détermine le signe astrologique. Aujourd'hui, une constellation désigne une région du ciel et non uniquement un dessin, les astronomes ayant divisé le ciel en 88 constellations.

A force d'observer le ciel, les Anciens notèrent que certains groupes d'étoiles, dont ils se servaient pour s'orienter, dessinaient des figures auxquelles ils s'empressèrent de donner des noms de héros mythologiques ou d'animaux. Ainsi naquirent les constellations, dont les motifs n'ont guère changé depuis 4 000 ans. Ils remarquèrent que, comme le Soleil et la Lune, certains astres se déplaçaient parmi les constellations du zodiaque et les baptisèrent planètes, qui signifie "vagabond" en grec. Les Anciens ne connaissaient que 5 planètes visibles à l'œil nu : Mercure, Vénus, Mars, Jupiter et Saturne. Uranus, Neptune et Pluton, furent découvertes beaucoup plus tard.

Le zodiaque

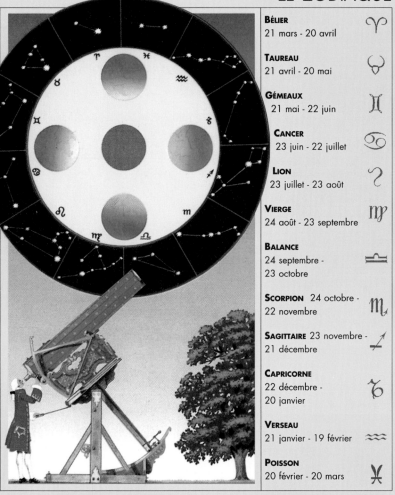

BÉLIER
21 mars - 20 avril ♈

TAUREAU
21 avril - 20 mai ♉

GÉMEAUX
21 mai - 22 juin ♊

CANCER
23 juin - 22 juillet ♋

LION
23 juillet - 23 août ♌

VIERGE
24 août - 23 septembre ♍

BALANCE
24 septembre -
23 octobre ♎

SCORPION 24 octobre -
22 novembre ♏

SAGITTAIRE 23 novembre -
21 décembre ♐

CAPRICORNE
22 décembre -
20 janvier ♑

VERSEAU
21 janvier - 19 février ♒

POISSON
20 février - 20 mars ♓

L'INFLUENCE DES PLANÈTES

Chaque planète a des propriétés spécifiques, tout comme les signes du zodiaque sur lesquels elles sont censées exercer une influence déterminante. Mars régit le signe du Bélier, Pluton le Scorpion, Vénus le Taureau et la Balance ; tandis que Saturne domine le Capricorne, Mercure la Vierge et les Gémeaux, Jupiter le Sagittaire, Neptune les Poissons et Uranus le Verseau. Le Soleil, qui est au centre de notre système solaire, fut adoré par de nombreuses civilisations anciennes. Il régit le signe du Lion, le "roi des signes", tandis que le Cancer est sous la tutelle de la Lune.

Les astronomes mésopotamiens et grecs de l'Antiquité observaient minutieusement les déplacements des "astres errants" dans les constellations du zodiaque : le Soleil, la Lune, Mars Mercure, Vénus, Jupiter et Saturne. Ils avaient noté que deux d'entre eux, le Soleil et la Lune, influençaient les phénomènes naturels : l'alternance des jours et des nuits, des saisons et des marées. Croyant que les astres

pouvaient aussi guider le cours des événements humains, ils attribuèrent une influence à chaque constellation du zodiaque et à chaque planète. Mars fut associé à la guerre en raison de sa couleur rouge et Saturne à la sagesse, pour sa lenteur. Ainsi sont nés l'astrologie et l'horoscope : selon la position que les planètes occupent les unes par rapport aux autres dans le ciel au moment précis de la naissance d'un individu, elles influent sur son caractère et son destin.

Les 9 planètes du système solaire

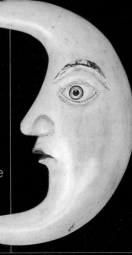

11

Né sous le signe du Cancer

Le Cancer est influencé par ses émotions d'abord, par les autres ensuite, par tout enfin. Bref, il est influençable ! Bien sûr, il ressent plus qu'il n'est raisonnable les climats, les ambiances, les atmosphères. Et comme c'est un intuitif, il éprouve plus qu'il n'analyse. Il est timide encore et pourtant il a besoin des autres ; il guette le moindre signe qui lui apportera la preuve qu'il est favorablement accueilli.

Signe d'eau, féminin, nocturne, le Cancer, quatrième signe du zodiaque, est gouverné par la Lune. Il symbolise le principe de la maternité.

23 JUIN - 22 JUILLET

Quelle sensibilité, ce Cancer ! Il réagit au moindre événement. Et avec cela, imaginatif ! Attaché à sa famille et à son passé, il est doué d'une prodigieuse mémoire affective, mémoire des bienfaits comme celle des offenses. Pour s'épanouir, il lui faut un climat sentimental stable et positif. Mis en confiance et se sentant aimé, le Cancer est alors d'une agréable compagnie : chaleureux, gai, il pourra chérir et protéger ceux qu'il aime.

Mais rien n'est simple avec le Cancer : placé sous le signe de la contradiction, lunatique, il résiste aux plus terribles chocs et peut se révéler très hardi. Chaque signe est associé à un animal, une pierre, une couleur… Pour le Cancer, les couleurs sont le noir, le blanc, le gris ; la fleur le **nénuphar**. Les pierres précieuses sont l'**opale** et la pierre de lune, les animaux le **chat**, le poisson, le crabe, le cygne et le serpent. Son jour est le lundi.

13

Chaque décan a ses particularités qui influent sur le caractère des personnes nées au cours de ces 10 jours. C'est la constellation de la Petite Ourse qui veille sur le 1er décan du Cancer. Elle lui donne entrain et opiniâtreté. Mais ce vif ascendant est tempéré par la douce influence de la Lune au charme plein de mystère et d'insaisissable. La magnifique et féline foulée de **Carl Lewis** (1er juillet 1961) ouvre le défilé des célébrités du décan. Ses 4 médailles d'or d'athlétisme sont à la hauteur des exploits aériens des fous volants

nés ces 10 jours : **Amy Johnson** (ci-contre, 1er juillet 1903) fut, en 1930, la première femme à réaliser l'exploit d'une liaison en solitaire entre l'Angleterre et l'Australie. Swing, uppercut, esquive... Les gants de cuir volent à leur manière et les natifs du décan font

aussi merveille sur les rings comme en témoignent les 2 champions poids lourds, **Jack Dempsey** (24 juin 1895), en son temps le plus populaire des boxeurs, et l'actuel tenant du titre mondial, l'imposant **Mike Tyson**

(30 juin 1966). D'autres ont la touche plus délicate et préfèrent le pinceau au gant. Mais là aussi même passion du mouvement : **Petrus Paulus Rubens** (28 juin 1577) est le grand maître du baroque flamand. Une sensuelle exubérance se dégage de ses toiles jouant à

1er DÉCAN DU CANCER : 23 JUIN - 2 JUILLET

loisir des effets lumineux, du relief des chairs, des formes souples et dynamiques. Son influence s'exerça non seulement sur la peinture mais également sur tous les autres arts plastiques et s'étendit bien au-delà des frontières de son pays (ci-contre, à gauche). L'œuvre d'**Hermann Hesse** (2 juillet 1877, à gauche, en bas) est aussi une quête d'harmonie. L'univers symbolique de ses romans invite à une réflexion sur la dualité humaine et donne les clés pour la résoudre. Philosophe et écrivain, il a lui aussi exploré les voies de la sérénité et de la liberté : **Jean-Jacques Rousseau** (28 juin 1712, ci-dessus) sema les idées qu'allait bientôt cueillir la Révolution française.

George Sand, femme de lettres née le 1er juillet 1804, (en bas) se passionna également pour les courants démocratiques de son époque dont ses récits réalistes se firent l'écho. Née Aurore Dupin, elle prit un nom de plume masculin afin de protester contre le joug conjugal qu'elle bafouait déjà par ses liaisons. Il allait lui aussi au bout de ses convictions : Thomas Cranmer (2 juillet 1489) fut le premier archevêque de religion protestante. Il fit traduire la Bible en anglais et adopta d'autres réformes dans son diocèse de Canterbury. Cette foi sobre déplut au roi : il fut exécuté. Point trop orthodoxe non plus, John Dillinger (23 juin 1903), le fameux pilleur de banques américaines !

15

LA PERSONNALITÉ DU JOUR

Le 1er juillet 1872 naît, à Cambrai, Louis Blériot, l'homme qui allait réaliser le premier vol trans-Manche. Après son exploit, la presse britannique titra : "L'Angleterre n'est plus une île !"

Blériot consacrait tous ses revenus – et la dot de sa femme – à construire des aéroplanes. Jeté 20 fois au tapis, ce "casseur de bois" s'obstinait. Le 26 juin 1909, son *Blériot XI* vole une demi-heure au-dessus d'Issy-les-Moulineaux. C'est à bord de cet avion monoplan de 8 m de long et de 7,80 m d'envergure, à hélice bipale en bois, équipé d'un moteur Anzani, qu'il veut rallier l'Angleterre. Le mauvais temps l'oblige à retarder son décollage de quelques jours. Le 25 juillet 1909, malgré une brûlure au pied qui l'oblige à marcher avec des béquilles, il décide enfin de s'élancer. À 4 h 41, il s'envole du campement des Baraques, près de Calais.

L'aviateur se pose sans encombre. En 32 min de vol, il vient de franchir la Manche. L'exploit du pionnier français convainquit les gouvernements du monde entier

Le vol d'environ 42 km est perturbé par les nuages et par le vent. Bientôt, les falaises anglaises sont en vue. Dans un champ près de la forteresse de Douvres, Blériot aperçoit un homme qui agite un drapeau tricolore.

de l'importance vitale prise par l'aviation.

Fêté comme un héros, Blériot empocha une récompense et récolta surtout de nombreuses commandes. Dès lors, il se consacra à la fabrication industrielle de ses appareils. C'est lui qui réalisa le Spad, avion des as de la Grande Guerre, et c'est aussi un Blériot qui fut le premier appareil civil destiné au transport des passagers. Louis Blériot est mort à Paris en 1936.

Ce jour dans le monde

Albert Einstein (ci-dessus), publie sa *Théorie de la relativité* aujourd'hui, en 1905. Il y affirme que le temps, loin d'être une constante, varie en fonction de la vitesse du corps à partir duquel il est mesuré. Le célèbre footballeur **Diego Maradona** (ci-contre), signe un engagement avec le club italien de Naples, ce jour de 1986, pour la somme record de 60 millions de francs. Bien loin de ces fastes pécuniaires, le 1er juillet 1940, lors de la Seconde

Guerre mondiale, un projet de rationnement invite les Anglaises à porter des chaussures à talons plats pour économiser le bois. Ce même jour, en 1916, la firme Coca-Cola lance la désormais classique "bouteille contour"

dessinée par Alexandre Samuelson qui lui donne la silhouette d'une femme en robe fourreau. Une autre idée géniale, ce 1er juillet 1660 : celle de Timotheus Ritzsch de Leipzig, en Allemagne, qui publie le premier quotidien jamais paru. Hélas, il fera faillite dès septembre. Ce jour de 1858, Charles Darwin scandalise les membres de la Société linéenne avec son pamphlet intitulé *La Sélection naturelle,* dans lequel il affirme que toutes les espèces, y compris l'homme, ont évolué et changé sous l'influence de mutations génétiques ainsi que de pressions de leur environnement. Sa *Théorie de l'évolution*, qui deviendra si célèbre, semblait, en effet, avoir 2 conséquences fâcheuses : elle était en contradiction avec la version biblique

de la création du monde par Dieu en 7 jours, et suggérait que l'homme, tout être pensant qu'il fût, n'en était pas moins un animal parmi d'autres. C'est en tout cas le seul animal capable de réduire ses semblables en **esclavage**. Aussi, notons le petit pas accompli vers l'humanisation de l'homme, ce 1er juillet 1863 : l'indigne pratique est abolie aux Indes occidentales hollandaises (à gauche). Aujourd'hui, en 1916, après un barrage d'artillerie d'une semaine, les Alliés attaquent les lignes fortifiées allemandes sur la Somme. En juin, Français et Anglais avaient lancé l'une des plus grandes offensives de la Première Guerre mondiale. Mais en novembre, les Alliés n'avaient avancé que de 10 km et le tribut déjà payé par les 2 camps s'élevait à 1 265 000 hommes, soit un huitième de la totalité des pertes de la guerre. Mary Fisher et Ann Austen, premières parmi les **quakers** (ci-dessus) à débarquer en Amérique, ce 1er juillet 1656, avec l'espoir d'une vie nouvelle loin des persécutions religieuses, furent accueillies par les colons puritains qui, au lieu de cela, les emprisonnèrent avant de les bannir. Restons sur le continent nord-américain avec l'**Acte de l'Amérique du Nord britannique** qui réunit, ce jour de 1867, sous le nom de Canada (ci-contre), les anciennes colonies britanniques du Nouveau-Brunswick de la Nouvelle-Écosse, l'Ontario et le Québec.

L'ÉVÉNEMENT DU JOUR

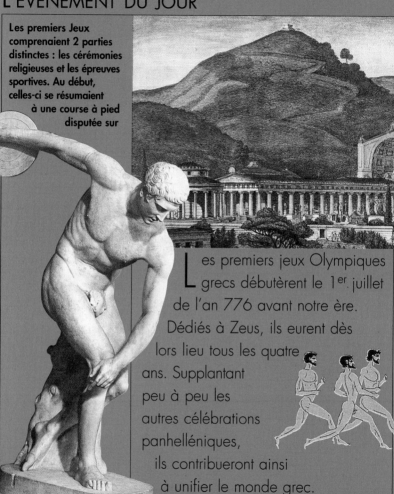

Les premiers Jeux comprenaient 2 parties distinctes : les cérémonies religieuses et les épreuves sportives. Au début, celles-ci se résumaient à une course à pied disputée sur

Les premiers jeux Olympiques grecs débutèrent le 1er. juillet de l'an 776 avant notre ère. Dédiés à Zeus, ils eurent dès lors lieu tous les quatre ans. Supplantant peu à peu les autres célébrations panhelléniques, ils contribueront ainsi à unifier le monde grec.

la distance d'un "stade", soit environ 192,25 m. En 724 av. J.-C., on ajouta une autre épreuve, la "diaule", c'est-à-dire 2 longueurs de piste. En 708 av. J.-C. fut introduit le pentathlon, qui associait saut en longueur, course, lutte, disque et javelot. Enfin, en 680 av. J.-C., on inaugura le "quadrige", ou course de chars. Un mois avant le début des Jeux commençait pour les concurrents une période obligatoire d'entraînement. Pendant toute la durée des épreuves, la trêve olympique mettait une sourdine aux guerres intestines qui déchiraient le monde grec. Hier comme aujourd'hui, les vainqueurs étaient fêtés en héros. S'ils ne recevaient en récompense de leurs exploits sportifs qu'une couronne d'olivier, ils se voyaient couverts de cadeaux à leur retour dans leur cité d'origine. En cette année 776, le premier champion olympique fut un berger de la vallée de l'Alphée nommé Korobeos.

De plus en plus professionnalisés, les Jeux allaient dégénérer en combats de cirque, et l'empereur Théodose Ier les supprima en 393. Il appartiendra au baron Pierre de Coubertin de les faire revivre en 1896.

LES INVENTIONS DE JUILLET

Chaque mois de l'année a vu naître son lot d'inventions qui, chacune à sa façon, transforme le cours de notre vie quotidienne. Juillet ne fait pas exception… Il y a eu des inventions de saison : le premier **"sundae"**, cette coupe de crème glacée arrosée de chantilly et parfois de chocolat, fut dégusté en pleine chaleur, le 8 juillet 1881. Le **bikini**, maillot de bain audacieusement déshabillé, fit son apparition le 5 juillet 1946. Le styliste français Louis Réard déposa sa marque 18 jours après une série d'essais atomiques américains dans l'atoll de Bikini, au sud du Pacifique. Il lui choisit ce nom pour son côté "ultime" : pour la première fois, le maillot dénudait les épaules, le ventre et le haut des cuisses. Taillé dans du coton imprimé, il fut inauguré en défilé de mode à Paris par la danseuse Micheline

Bernardi et lui aurait valu plus de 50 000 lettres d'admirateurs. Moins plébiscité, le **bloomer** apparut un siècle plus tôt, en juillet 1848. Ce pantalon bouffant, à mettre sous une robe, était pourtant beaucoup plus pratique que les volumineux et tourbillonnants jupons portés jusque-là. Il fut appelé "bloomer" en hommage à la première féministe américaine, Amelia Bloomer, qui le portait, et fut lancé l'année de la première Convention pour les droits de la femme. Dans les années 30, il devint très à la mode pour les

LES INVENTIONS DE JUILLET

enfants, garçons compris. Le timbre postal avait été inventé en 1834 en Irlande. Mis en service en 1838, il était payable à l'arrivée du courrier. C'est 13 ans plus tard, le 1er juillet 1847, que les premiers **timbres postaux** parurent aux États-Unis, aux effigies de Benjamin Franklin et de George Washington. En France, ils furent imprimés un an plus tard, par la Monnaie, en raison de leur valeur fiduciaire. C'est le 18 juillet 1877 que l'inventeur américain Thomas Edison eut l'idée du phonographe, lointain ancêtre de nos chaînes stéréo. Le mois suivant, le prototype, qui mesurait près de 1 m de long, n'étant pas encore une merveille par sa qualité de son, il préféra se tourner vers d'autres géniales inventions (téléphone, lampe à incandescence, etc.), tandis que ses collègues chercheurs perfectionnaient le résultat de son intuition. Thomas Edison n'avait alors que 30 ans. Citons également parmi les innovations du mois : **la pipe en épis de maïs**, mise en vente le 9 juillet 1869 ; la première espèce de grosse fraise de jardin, exposée par Michael Keens le 3 juillet 1808, et une invention appelée à se développer encore plus que les fraises : le sondage d'opinion, inauguré dans l'État de Pennsylvanie le 24 juillet 1924.

AU RYTHME DES SAISONS

Dans le monde entier, l'été est la saison féconde par excellence. Sous les latitudes tempérées, c'est l'époque des moissons. On remplit les silos. Partout l'on s'active, malgré la chaleur et les insectes bourdonnants, pour engranger céréales et graminées. Dans le Grand Nord, l'été est court, mais intense. Le jour n'en finit plus et le Soleil ne passe que des nuits blanches. En trois mois à peine, le grand cycle de la vie s'accomplit dans la toundra.

L'été, la végétation arrive à maturité. Plantes sauvages ou cultures vivrières se disputent l'espace. Le moment est venu de récolter. Le blé, l'orge et le seigle produiront la farine. Selon la tradition, la dernière gerbe fauchée sera accrochée au-dessus du seuil, comme porte-bonheur. Du colza et du tournesol on extraira l'huile. Le maïs, cueilli un peu plus tard, servira à la nourriture des hommes et des animaux. Dans certaines régions, on cultive encore l'épeautre, le millet ou le sarrasin, des céréales très appréciées mais qui tendent à disparaître au profit des cultures intensives.

Tête au soleil et pieds dans l'eau, le riz est la céréale la plus cultivée au monde. Depuis 7 000 ans, elle nourrit une bonne partie de l'humanité. Au nord, sur la toundra, c'est un festival éphémère de plantes et de fleurs. Les oiseaux reviennent du sud. Les rennes remontent vers les landes grises. Les animaux qui ont hiberné se courtisent, se fécondent, puis élèvent en hâte leurs rejetons. Tous les 4 ans, le lemming (en haut, à gauche), un petit rongeur d'Europe du Nord, vit un véritable boom démographique. Le renard polaire (ci-dessous), qui s'en nourrit, en profite pour agrandir aussi sa famille. Tous, comme le lièvre arctique (à gauche), quittent leur robe d'hiver que les prédateurs confondent avec le paysage de neige, pour un pelage fauve mieux adapté aux couleurs de l'été.

LES FÊTES DE JUILLET

À des milliers de kilomètres se déroule en Mongolie la fête nationale du Naadam. En souvenir de la révolution de juillet 1921 et des exploits des grands guerriers mongols, les descendants de Gengis Khan s'affrontent dans les 3 disciplines viriles par excellence : courses de chevaux, lutte et tir à l'arc. En fait, le tir à l'arc est ouvert aux femmes

En ce mois de juillet, la fête du **Niman** revêt une grande importance pour les Indiens Hopis de l'Arizona (ci-dessus), qui se signalent par la richesse et la complexité de leur mythologie : c'est la période où les esprits des ancêtres s'apprêtent à rejoindre leurs demeures après avoir passé 6 mois au sein de leur tribu. Des danses rituelles, où les âmes des défunts (les *kachina*) sont figurées par des masques d'une facture très élaborée, marquent cet événement. Chaque **14 juillet**, la France vit à l'heure de la Fête nationale : défilés militaires, lampions et bals populaires célèbrent la prise de la Bastille, le 14 juillet 1789 (à droite).

– l'on dit même que l'une d'elles, s'étant déguisée en homme, remporta voici bien des lunes le concours

de lutte… ce qui bien sûr embarrassa grandement le jury masculin !

Non loin de là, au Japon, la **fête des Étoiles** fait revivre chaque 7 juillet une vieille légende (ci-dessus) : ce jour-là, la fille du roi des tisserands et son fiancé le Bouvier, séparés pour l'éternité par la Voie lactée, se rejoignent pour une nuit grâce à un pont formé par les oiseaux.

Muharram, premier mois du calendrier selon l'islam (juin-juillet), est pour les musulmans chiites le temps de l'Achurat, fête religieuse fondamentale commémorant la mort d'Husayn, fils d'Ali et gendre du Prophète. Son martyre est évoqué par les *ta'ziyas*, représentations théâtrales à la fois jouées

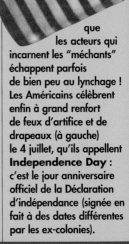

et vécues par des acteurs bénévoles, qui peuvent se comparer aux Passions.

Le public réagit de façon spontanée et véhémente à ces spectacles empreints de ferveur naïve, au point que les acteurs qui incarnent les "méchants" échappent parfois de bien peu au lynchage ! Les Américains célèbrent enfin à grand renfort de feux d'artifice et de drapeaux (à gauche) le 4 juillet, qu'ils appellent **Independence Day** : c'est le jour anniversaire officiel de la Déclaration d'indépendance (signée en fait à des dates différentes par les ex-colonies).

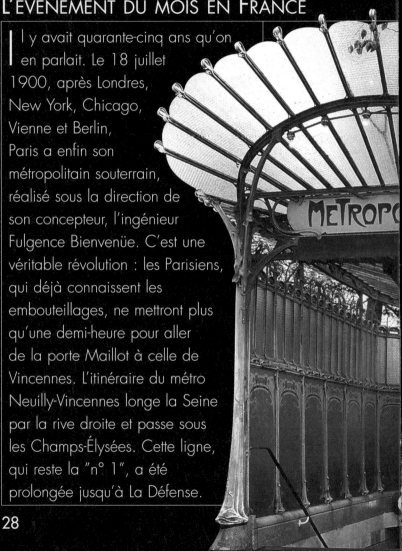

L'ÉVÉNEMENT DU MOIS EN FRANCE

Il y avait quarante-cinq ans qu'on en parlait. Le 18 juillet 1900, après Londres, New York, Chicago, Vienne et Berlin, Paris a enfin son métropolitain souterrain, réalisé sous la direction de son concepteur, l'ingénieur Fulgence Bienvenüe. C'est une véritable révolution : les Parisiens, qui déjà connaissent les embouteillages, ne mettront plus qu'une demi-heure pour aller de la porte Maillot à celle de Vincennes. L'itinéraire du métro Neuilly-Vincennes longe la Seine par la rive droite et passe sous les Champs-Élysées. Cette ligne, qui reste la "n° 1", a été prolongée jusqu'à La Défense.

Le métro avait bien sûr des adversaires avant même d'être construit : on prédisait électrocutions, asphyxies et vols, il serait le "nécropolitain". Mais, le jour de son ouverture, *L'Illustration* décrit avec soin et enthousiasme le métro et ses stations. "Tout l'intérieur est revêtu de carreaux blancs émaillés de diverses natures qui constituent un décor à la fois gai, propre et hygiénique. La lumière électrique y est d'ailleurs répandue à profusion. Cet éclairage […] donne une impression réconfortante et chaude, de nature à enlever toute appréhension aux personnes qui craignent les voyages souterrains." Les trains du métro sont composés de 3 voitures, 1 automotrice, puis 2 wagons d'attelage. Ces derniers peuvent contenir 30 voyageurs assis, une dizaine debout ; l'une des portes est réservée à l'entrée, l'autre à la sortie. Le train passe toutes les 6 min et la ligne compte 18 stations. En première classe, les banquettes sont en cuir rouge-brun rembourré tandis que celles de seconde classe sont à lattes de bois verni. Le prix des places est de 0,25 F en première classe, 0,15 F avec une possibilité de prendre des allers-retours pour 0,20 F, en seconde. Toute la ligne est souterraine sauf Bastille, qui est à ciel ouvert et donne sur le port de l'Arsenal. C'est l'architecte Hector Guimard qui dessina les bouches de métro de style Art nouveau. Seules 2 des 84 bouches conservées à Paris ont encore leur verrière.

❝ Soleil, tu vernis tes chromos,
tes paniers de fruits, tes animaux.
Tu es un clown, un toréador,
tu as des chaînes de montre en or. **❞**

JEAN COCTEAU